Wir stehn auf - Kirche

Text und Musik: Teresa Zukic

Notengrafik: Ilse Mayer

Foto: Hans Pastyrik

Design: Oliver Fietz

1. Auflage 1998

Lieder- und Textheft Bestell-Nr. 158
ISBN 3-88124-220-1; ISMN M-50052-158-7

CD Bestell-Nr. 91-158
ISBN 3-88124-218-X

ABAKUS Musik Barbara Fietz,
Haversbach 1, 35753 Greifenstein,
Fon: 06478-2250, Fax: 06478-1355

1. Einzug: traditionelles Orgelspiel

Chor zieht durch die Kirche ein *(immer zu zweit nebeneinander)*

Einer ruft: *HALT! Ich hatte einen Traum. Ich träumte, wir kämen begeistert und voller Freude in sein Haus. Wir hätten gejubelt und getanzt, weil hier unser Gott wohnt.*
Ein anderer: *Wenn ich ehrlich bin, habe ich mir heute noch gar keine Gedanken gemacht, wie ich in den Gottesdienst komme.*
Ein anderer: *Dann laßt uns doch einfach noch einmal anfangen.*

(Alle drehen sich um und gehen zurück zum Eingang)

2. Einzug:

(Nur im ersten Teil singen alle ohne musikalische Begleitung, dann Band dazu)

Kommt und singt

Chor zum Einzug

Text und Musik:
Schwester Teresa Zukic
Chorbearb. Siegfried Fietz

(Wenn der Chor sich aufgestellt hat)

Begrüßung durch den Pfarrer

Im Namen des Vaters

Text und Musik:
Schwester Teresa Zukic

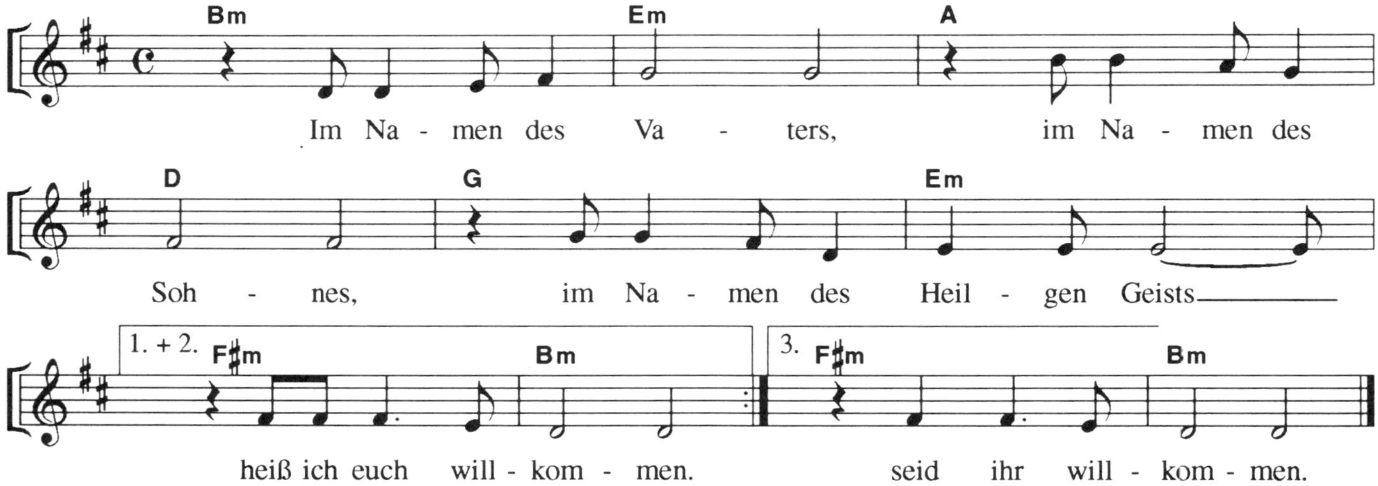

(Die Wiederholung singt der Chor)

Du Herr bist wie ein guter Hirte

Text und Musik:
Schwester Teresa Zukic
Chorbearb. Siegfried Fietz

Chor: Er zeigt mir den rech - ten Weg, er zeigt dir den rech - ten Weg, er zeigt uns den rech - ten Weg, er ist das Le - ben. Er zeigt Le - ben.
Solo: Wenn ich durch schwe - re Zei - ten geh', und Un - heil mich be - droht, ich fürcht' mich nicht.
Solo: (Wiederholung)
Chor unisono:
Denn du bist bei mir. Hal - le - lu - ja, denn lu - ja, denn du hältst mich fest.
Chor: Hal - le - lu - ja. An dei - ner Hand. Hal - le - lu - ja,
Hal - le - lu - ja, Hal - le - lu - ja, Hal - le - lu - ja.

D Bm Em A D Bm
Solo: Du schenkst mir al - les, was ich brau - che, auch wenn an- dre
Em A Bm Em A D
nei - disch sind; Brot zum Le - ben, Lie - be, Freu- de.
Bm Em A Bm Em
Du hältst Freund - schaft mit mir. Chor unisono: Du hast mich ge - salbt
A D Bm Em 1. A D
bei mei- ner Tau- fe und hast mir reich - lich Se - gen ge - schenkt.
2. A D C F Am E F
Se - gen ge - schenkt. Solo: Dei- ne Lie - be folgt mir Tag und Nacht.
Em F G
Mein gan- zes Le - ben darf ich in dei - ner Nä - he sein. Denn
F Em F G
dein Haus ist mein Haus. Du be - stimmst mei - ne Zeit.
F C
Chor: Denn dein Haus ist mein Haus,
F 1. G 2. C
Du be - stimmst mei - ne Zeit. Zeit.

Lesung

Text und Musik:
Schwester Teresa Zukic
Chorbearb. Siegfried Fietz

Gesprochen:
Als der Pfingsttag gekommen war, befanden sich alle am gleichen Ort.

| G | G | A | A |

Da kam plötzlich vom Himmel her ein Brausen
wie wenn ein heftiger Sturm daherfährt,
und erfüllte das ganze Haus, in dem sie waren.

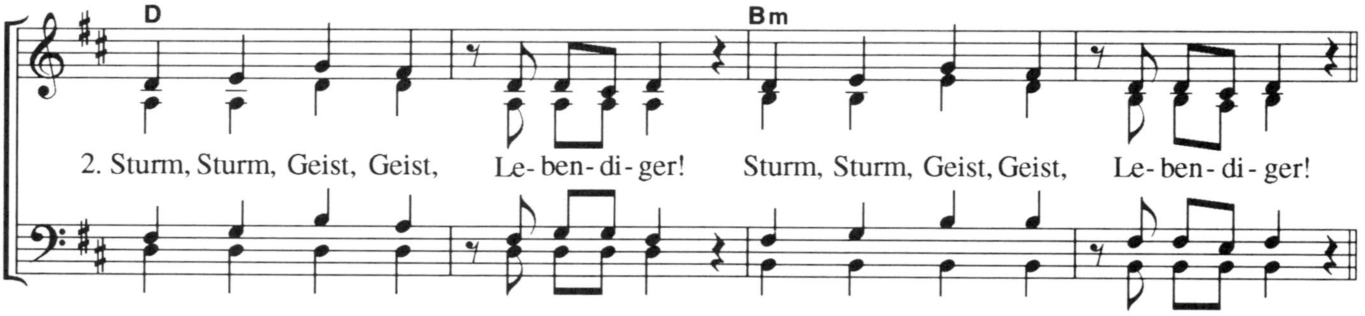

| G | G | A | A |

Und es erschienen ihnen Zungen wie von Feuer,
die sich verteilten;
auf jeden von ihnen ließ sich eine nieder.

| G | G | A | A |

Alle wurden mit dem Heiligen Geist erfüllt und begannen,
in fremden Sprachen zu reden.
wie es der Geist ihnen eingab.

Als sich das Getöse erhob, strömte die Menge zusammen | G | G |
und war ganz bestürzt;
denn jeder hörte sie in seiner Sprache reden. | A | A |
Sie gerieten außer sich vor Staunen und sagten: | G | G |
Sind das nicht alles Galiläer, die hier reden? | F# | F# |
Wir hören sie in unseren Sprachen Gottes große Taten verkünden. | G | G | A | A |

| G | G | A | A |

Alle gerieten außer sich und waren ratlos.
Die einen sagten zueinander:
Was hat das zu bedeuten?
Andere aber spotteten:
Sie sind vom süßen Wein betrunken.

Einer spricht:

Ich glaube, es stürmt wirklich in der Kirche

Kinder kommen stürmend in die Kirche, sie haben rote, gelbe Tücher.
(Zur 1. Zeile: Kinder laufen im Kreis und wedeln mit den Tüchern. Bei „Hey“ werden die Tücher hochgerissen.
zur 3. Zeile: Kinder gehen in die Knie, wedeln vor sich mit den Tüchern, gehen hoch.)

Kindersturm

Text und Musik:
Schwester Teresa Zukic

Drei Kinder (sprechen):

1. Ich bin der Sturm,
   ich bin die Kraft Gottes,
   ich fege durch Zeit und Raum und
   versuche die Menschen wachzurütteln.
   Ich will, daß es in der Kirche stürmt,
   bei mir bleibt keine Tür verschlossen.
   Ich wehe, ich wühle, ich räume auf.

2. Ich bin das Feuer, das von Gott kommt,
   ich bin die Begeisterung,
   ich brenne voll Glauben
   und verbrenne, was nicht von Gott ist.
   An mir wärmen sich die Leidenden,
   wer liebt, spürt mich.

3. Ich bin die neue Sprache.
   Alle, die auf Gott hören, verstehen mich.
   Ich spreche in Sanftmut und Wahrheit,
   bei mir gibt es keine Mißverständnisse.
   Aus meinem Mund kommt nur Gutes.
   Das Beste ist Gott loben.

Pfingstpredigt der Jünger

Text und Musik:
Schwester Teresa Zukic

Petrus-Rap

Text und Musik:
Schwester Teresa Zukic
Musik: S. Fietz / St. Weyel

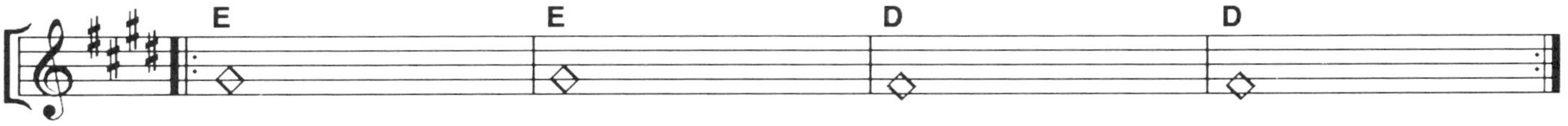

Hallo Leute, hört mich an, Jesus war ein toller Mann,
der hat nicht blöde Sprüch gemacht, der hat getan, was er gesagt.

Und die in der Ecke stehn, hat er geholt, hat sie gesehn.
Vorm Leben schloß er keinen aus, die im Dreck warn, holt er raus.

Er ließ alle an sich ran, den reichen, großen, kleinen Mann.
Er war kein Macho, war kein Held. Er war ein Mensch und Menschsein zählt.

Doch die Botschaft, die er brachte, hat so unruhig gemacht.
Er mußte weg, hat nicht gepaßt, sein Lebensstil, das war zuviel.

Drum in die Grube rein, so konnte Gottes Sohn nicht sein.

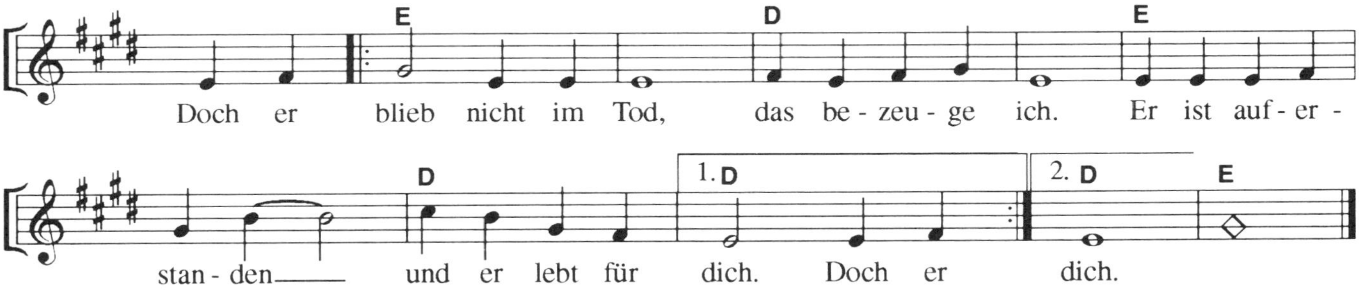

Jugendliche/r: *Mensch, der spricht ja unsre Sprache.*

Anderer: *Ist das nicht Johannes, sein Lieblingsjünger?*

Johannes - Jesus war mein Leben

Text und Musik:
Schwester Teresa Zukic

***Frau** (gesprochen:)*

Genau so haben wir's früher gelernt. Der Johannes hat Jesus geliebt.

Johannes:
Jesus liebte alle Menschen und die Schwächsten am meisten!

Behinderte treten mit Feuerzungen auf
(*Sie stellen die Feuerzungen vor den Altar und lesen*):

1. *Seine Liebe hat die Ärmsten mitgerissen, weil er ihr Reichtum wurde. Sie waren in seinen Augen etwas wert.*
2. *Er war Feuer und Flamme für die Kranken. Er heilte sie, vor allem aber heilte er die Herzen der Menschen.*
3. *Seine Liebe war der frische Wind für alle, die eingeschlossen und ausgeschlossen waren.*
4. *Er brannte vor Eifer für die Schwachen, die nichts in der Gesellschaft galten.*
5. *Seine Liebe hat gezündet, vor allem bei denen, die in Ägsten lebten und verzweifelt waren.*
6. *Er sprach mit Liebe zu den Sündern und ließ keinen verloren gehen.*
7. *Seine Liebe sprang bei den Kindern über wie ein Funke, und bei denen, die das Herz eines Kindes hatten.*

Junger Mann: *Sag mal, kannst du das alles glauben von Jesus?*

Ich bin Thomas

Text und Musik:
Schwester Teresa Zukic

Junger Mann: *Genauso geht's mir auch!*

Mein Le - ben oh - ne Sinn, die Hoff - nung, sie war fort.
Ich bin weg - ge - rannt, bin weg - ge - rannt, vom Glau - ben weg - ge - rannt.
Ich bin weg - ge - rannt, bin weg - ge - rannt, aus der Gemein - schaft bin ich weg - ge - rannt.
Thomas: Ich bin weg - ge - rannt, bin weg - ge - rannt, vor mei - nen Pro - ble - men weg - ge - rannt.
Chor: Er ist weg - ge - rannt, ist weg - ge - rannt, vor sei - nen Pro - ble - men weg - ge - rannt.
Thomas: Doch Je - sus hat sich mir ge - stellt, er hat sich vor mich ge - stellt.
stellt. Mein Herr und mein Gott, ich glau - be an dich, denn du hast Ver -
ständ - nis für mich. Mein mich, denn du hast Ver - ständ - nis für mich.
(Wiederholung) Chor:

Junge Frau: *Jetzt sprechen die in der Kirche so wie ich es auch verstehen kann.*

Maria von Magdala

Text und Musik:
Schwester Teresa Zukic

Junge Frau: *Sag mal, Maria, haben die Jünger eigentlich geglaubt?*
Maria: *Na ja, ihr wißt ja, wie Männer sind! Sie hielten es für Weibergeschwätz. Aber sie haben Jesus später selbst erlebt. Jeder muß selbst eine Erfahrung mit Jesus machen, denn:*

Er ist der Aufstand

Text und Musik:
Schwester Teresa Zukic
Chorbearb. Siegfried Fietz

Petrus: *Wir können unmöglich schweigen über das, was wir gesehen und gehört haben. Die erste Gemeinde Jesu war ein Herz und eine Seele und das sollt auch ihr sein!*

Alle freuen sich und umarmen sich - Euphorie

Frau: *Sag mal, habt ihr euch nicht gestern noch gestritten? Und was ist mit den Fernstehenden und den Geschiedenen? Und mit dem Neid und dem Gerede?*

Jugendliche: *Wie habt ihr Jünger das eigentlich gemacht? Ward ihr immer ein Herz und eine Seele?*

Petrus: *Na ja, ich hab' den Mund schon mal vollgenommen, und als es darauf ankam ... aber Jesus hat mir vergeben. Gerade weil ich schwach war, machte er mich stark wie ein Felsen, um seine Kirche anzuführen. Seine Liebe ist größer als meine Schwäche - ich steh' auf ihn.*

Johannes: *Es gab immer wieder Konflikte unter uns, weil jeder eine ander Vorstellung von seinem Weg hatte. Ich habe oft geschwiegen und es alleine getragen. Vielleicht habe ich auch zuviel gegrübelt. Jesus selbst konnte alle annehmen wie sie waren. Wahrscheinlich liebte er uns, weil wir so unterschiedlich waren, deshalb steh' ich auf ihn.*

Thomas: *Ich habe oft gezweifelt, an mir, an den anderen, an Jesus. Jesus hat nie an mir gezweifelt, deshalb steh' ich auf ihn.*

Maria von Magdala: *Nicht alle Jünger haben es gerne gesehen, daß wir Frauen ihm so nah gefolgt sind, auch wenn unser Glaube groß war. Wir mußten uns oft durchsetzen. Jesus aber stellte sich hinter uns und machte uns stark, deshalb steh' ich auf ihn.*

Ein anderer: *Und weil wir auf Jesus stehen, stehen wir auf seine Kirche, weil wir glauben, daß er in unserer Mitte ist.*

Fürbitten:

1. *Herr, wir bitten dich um deinen heiligen Geist, der deine Kirche zum Leben erweckt hat. Erwecke auch uns zu neuem Leben.*
2. *Herr, wir bitten dich um deinen verbindenden Geist, der Menschen unterschiedlichster Herkunft zusammenführt. Führe uns als Gemeinschaft zusammen, in der alle einen Platz haben.*
3. *Herr, wir bitten dich um deinen liebenden Geist, der die Botschaft des menschenfreundlichen Gottes verbreitet hat. Entzünde uns zur Liebe, und laß Frieden unter den Menschen wachsen.*
4. *Herr, wir bitten dich um den Geist der Vielfalt, der die Charismen in der Urkirche ausbrechen ließ. Erwecke in deiner Kirche die Gaben der Kreativität.*
5. *Herr, wir bitten dich um den Geist des Gebetes, damit wir dich anbeten und lobpreisen können.*
6. *Herr, wir bitten dich um deinen heilenden Geist, der Menschen aus Krankheit und Leiden und vom Tode befreit hat. Sende den Kranken, Leidenden, Sterbenden und Verstorbenen deinen tröstenden Geist.*

Vater unser *(gesprochen. Wir bitten die Menschen sich an die Hände zu fassen, auch über den Mittelgang)*

Segen:

Der Herr, unser allmächtiger Vater, der alles aus dem Nichts geschaffen hat
und der uns in seiner Güte allezeit erhält,
er stärke unser Vertrauen auf ihn.

Der Herr Jesus Christus, Gottes Sohn und unser Heiland,
der die Welt erlöst hat und der uns das ewige Leben verheißen hat,
er stärke uns die Hoffnung auf ihn.

Der Heilige Geist, der die Kirche baut
und der allen Gläubigen Kraft und Weisheit spendet,
er stärke uns für unsere Sendung in dieser Welt.

Dazu segne uns der allmächtige Gott,
der Vater, der Sohn und der Heilige Geist.

Wir stehn auf - Kirche

Text und Musik:
Schwester Teresa Zukic
Chorbearb. Siegfried Fietz

INHALTSVERZEICHNIS

DER LIEDER